HENRI MONTMAYEUR
Conseiller pédagogique

ANNICK GOUPIL
Directrice d'école d'application

MARTINE GÉHIN
CPEN

Sous la direction de
BERNARD LECHERBONNIER

CP-CE1

Mon premier livre
de lecture courante

Illustrations :

Catherine Guéry : p. 4 - 8 - 20 - 24 - 25 - 27 - 68 - 69 - 70 - 72 - 76
Doris Lauer : p. 6 - 7 - 10 - 11 - 13 - 15 - 17 - 19 - 23 - 26 - 29 - 30 - 31 - 34 - 35
- 36 - 37 - 39 - 41 - 43 - 44 - 45 - 47 - 49 - 51 - 52 - 53 - 60 - 61 -
62 - 64 - 65 - 67 - 71 - 73 - 77 - 78 - 79

Denise Chabot : p. 12 - 16
Monique Felix : p. 28 - 33

Photos : p. 14 : Labat ; p. 18 h : JACANA/Labat ; p. 18 b : JACANA/Danegger ; p. 66 h :
Archives Nathan ; p. 66 m : J.-L. Charmet ; p. 66 b : RAPHO/Doisneau ; p. 73 hg : Dazy ;
p. 73 hd : EDIMEDIA/Snark ; p. 73 hmg : SNCF ; p. 73 hmd RENAULT ; p. 73 hmg :
PEUGOT ; p. 73 bmd : PIX/Poinot ; p. 73 bg : SNCF ; p. 73 bd : RENAULT.

Recherche iconographique : **Martine Enjalbert**

Maquette : **Christian Blangez**

© Éditions Nathan, Paris 1986   ISBN 2-09-151023-8

Toi qui déjà aimes la lecture et qui voudrais...

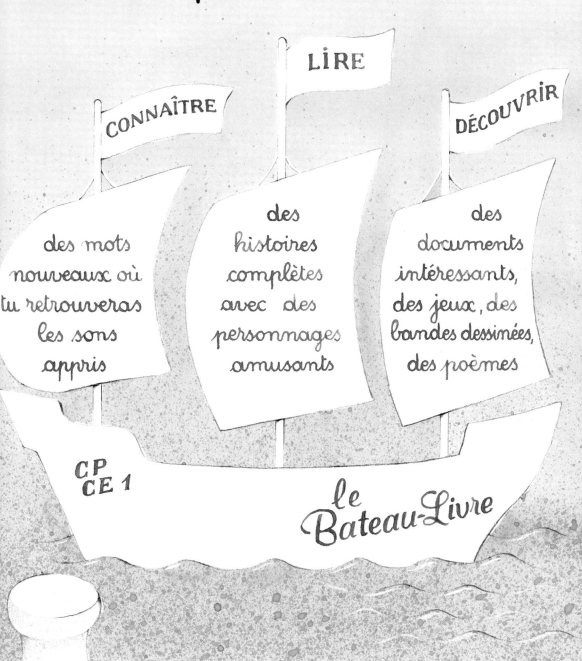

LIRE

CONNAÎTRE

DÉCOUVRIR

des mots nouveaux où tu retrouveras les sons appris

des histoires complètes avec des personnages amusants

des documents intéressants, des jeux, des bandes dessinées, des poèmes

CP CE 1

le Bateau-Livre

Embarque avec nous sur le Bateau-Livre.

L'arbre de Léonard

1. Un petit arbre est né

1 Un petit oiseau migrateur* quitta un jour l'équateur
   pour retourner dans son pays
   où l'hiver était presque fini.

   Il se posa au bord du chemin et, dans sa joie,
5 oublia là la petite graine d'arbre
   qu'il rapportait de si loin.
   Le lendemain, il plut et la petite graine germa.

   Mais le troisième jour du printemps,
   Léonard la découvrit sur le bord du chemin.
10 Ce n'était encore qu'une toute petite pousse verte
   au ras de terre avec trois feuilles...

* qui va passer l'hiver dans des pays plus chauds.

Quand vint l'automne, Léonard prit sa bêche,
Sa brouette et un gros pot de terre
pour emporter avant l'hiver
15 son petit arbre nouveau
dans sa maison bien au chaud.

Dans la maison de Léonard,
on était si bien, il faisait si bon
que l'arbrisseau se mit à grandir
20 et à grandir encore beaucoup plus vite.

(à suivre)

attention !
dans
il faisait :
[fə]
comme
dans un faisan

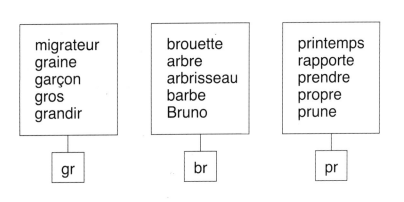

**Dans chaque étiquette,
il y a un intrus. Trouve-le :**

migrateur	brouette	printemps
graine	arbre	rapporte
garçon	arbrisseau	prendre
gros	barbe	propre
grandir	Bruno	prune

| gr | br | pr |

Faire pousser des arbres

● Tu peux faire pousser un arbre en mettant dans la terre d'un pot : des pépins, des noyaux ou des graines.

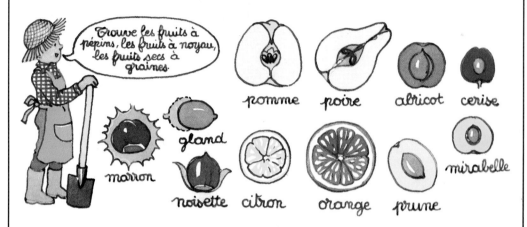

Trouve les fruits à pépins, les fruits à noyau, les fruits secs à graines.

pomme — poire — abricot — cerise

gland — marron — noisette — citron — orange — prune — mirabelle

● Natacha veut faire pousser un chêne.
Regarde ce qui se passe à l'intérieur de son pot.

Natacha a ramassé un gland sous un chêne. Elle le met en pot.

Natacha regarde souvent sa plante. Mais elle ne voit rien.

Un jour, Natacha découvre une petite pousse.

Natacha montre son arbre à un ami.

Du monde au jardin

● *Joue avec un camarade :*

1. Vous regardez attentivement ce dessin.
2. L'un de vous ferme son livre et répond à une question posée par son camarade à propos de la place des animaux et des plantes de ce jardin.
3. Vous vérifiez la réponse, vous changez de rôle.

(ex. : un chat → B2)

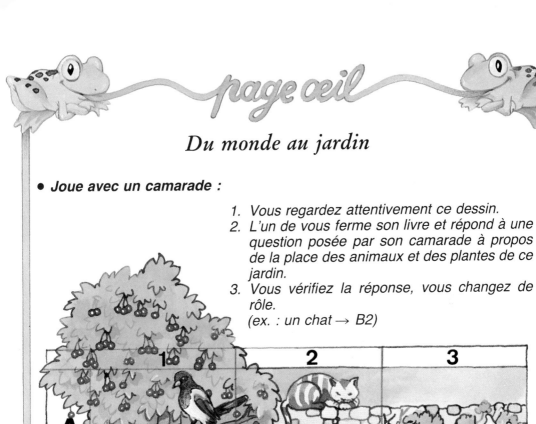

L'arbre de Léonard *(suite)*

2. L'ami du village

1   Et quand un nouveau printemps arriva,
    il fallut bien reconnaître
    que le petit arbrisseau
    était si beau, si gros et si haut,
5   qu'il était devenu... un arbre !
    Un arbre qui poussait dans une petite maison.

    Au milieu de l'été,
    on enleva tranquillement
    la moitié du toit
10 pour que la cime de l'arbre
    puisse passer par là.

    Le premier dimanche d'automne,
    Léonard s'aperçut
    que son arbre
15 était couvert de fruits !

Le maire et tous les gens du village,
le maître et tous les enfants de l'école
en mangèrent autant qu'ils en voulaient
et en remplirent leurs paniers.
20 Le soir, pour remercier Léonard, les hommes
et les enfants du village se mirent à lui construire
une maison nouvelle car maintenant
il n'y avait plus de place du tout dans l'autre.
Comme l'hiver approchait déjà,
25 c'était vraiment une excellente idée.

Marie TENAILLE et Suzanne BOLAND,
L'Arbre de Léonard,
© Éd. Casterman.

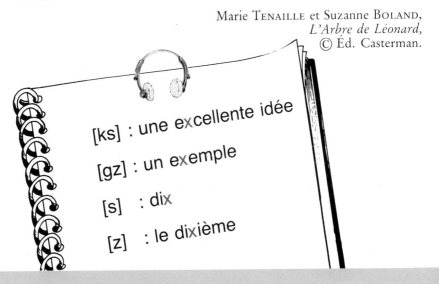

[ks] : une excellente idée

[gz] : un exemple

[s] : dix

[z] : le dixième

As-tu bien lu ?
(Dis si ce qui est écrit est vrai ou faux.)

1. L'arbre pousse à côté de la maison.

2. L'arbre est couvert de fruits en automne.

3. L'hiver est proche.

4. Les gens du village construisent un moulin.

L'arbre est une maison

Beaucoup d'animaux vivent dans ce chêne ou à proximité.
Ils sont réunis sur ce dessin.

1. *Lesquels de ces animaux connais-tu ?*
2. *Cherche le nom des autres.*
3. *Compte les oiseaux.*
4. *Comment appelle-t-on les animaux comme la fourmi et le capricorne ?*
5. *Trouve un rongeur.*
6. *Trouve ce que mangent : la taupe, le sanglier, le lapin, la belette,
   le hanneton, la mésange, le rapace.*

Deux arbres

- Il y a de nombreuses espèces d'arbres. En voici deux :
le hêtre et le sapin.

- Chaque arbre a des fruits.
A quoi servent-ils ?

	Le hêtre		Le sapin	

En hiver   Au printemps   En hiver   Au printemps

Sa feuille   Sa feuille

Son fruit :   Son fruit :
la faîne   le cône

- **Regarde et réfléchis :**

1. *Il y a deux grandes familles d'arbres : les feuillus, les conifères.*
   Trouve à quelle famille appartiennent le hêtre et le sapin.
2. *Cherche les différences entre ces deux arbres.*
3. *Trouve tout ce qui permet de reconnaître un arbre.*

Cinéma dans la forêt

1. Silence ! On tourne.

1   Ce matin, il y a beaucoup de remue-ménage dans
la forêt.
Des camions, de grosses autos arrivent de tous
les côtés.

5   « Alerte, alerte, crie le hibou qui perd ses plumes
tellement il est agité. »
La forêt est envahie, il y a des hommes partout !
Vite, il faut fuir...
« Pas de panique, bande de froussards,

10 crie le renard. Je vais voir ce qui se passe. »
Dans la clairière, les hommes ont installé ces grosses
machines qu'ils appellent des caméras.

« Silence, on tourne ! » crie un homme.

A ce moment, Renard prend son élan et court
à travers la clairière.

« Qu'est-ce que c'est, qu'est-ce qui se passe ? » demande
un machiniste.

Renard s'est arrêté derrière un buisson. Il dresse les oreilles.

« Renard, petit renard, dit la dame qui était filmée,
n'aie pas peur, approche-toi. »

Renard avance doucement une patte puis son petit
museau.

« Renard, petit Renard ! »

Cette fois, il sort la tête, se risque à
faire un pas. La dame lui tend la main.
Enfin il a le courage d'aller jusqu'à elle.
La dame le caresse. Renard s'allonge
sur la robe de la dame, tout content
d'être câliné, et regarde vers la caméra.

(à suivre)

attention ! h ≠ ch

h ne se
prononce pas
dans : un hibou
la forêt est envahie

ch se dit [ʃ] dans
une machine
approche-toi !

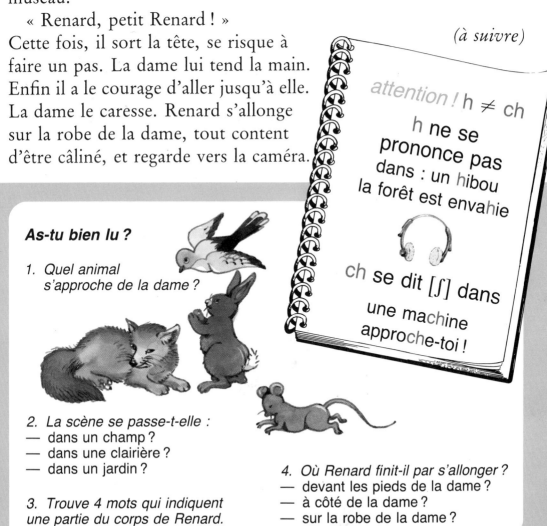

As-tu bien lu ?

1. Quel animal
   s'approche de la dame ?

2. La scène se passe-t-elle :
   — dans un champ ?
   — dans une clairière ?
   — dans un jardin ?

3. Trouve 4 mots qui indiquent
   une partie du corps de Renard.

4. Où Renard finit-il par s'allonger ?
   — devant les pieds de la dame ?
   — à côté de la dame ?
   — sur la robe de la dame ?

La prise de vue au cinéma

En approchant, ou en reculant plus ou moins la caméra,
on peut *cadrer* différemment les personnages.

Plan moyen

Premier plan

Très gros plan

Gros plan

● *Classe les prises de vue de la plus proche à la plus éloignée de la caméra.*

Jouons un peu.

1. Trouve les 5 différences entre ces deux cameramen.

2. Voici des mots se rapportant au cinéma.
Retrouve-les, écrits horizontalement ou verticalement, dans la grille.

CAMERA - MACHINISTE - SON.
CLAP - FILM - PERCHE* - MICRO.

Peux-tu trouver d'autres mots ?

3. Que dit le metteur en scène ?

SILENCE
ON
TOURNE

E	C	A	C	M	U	F	I	N	P
M	A	C	H	I	N	I	S	T	E
O	M	H	A	C	E	L	S	E	R
T	E	U	T	R	I	M	U	T	C
E	R	T	S	O	N	V	E	U	H
B	A	E	U	C	L	A	P	R	E

* La « perche » est le grand manche au bout duquel est fixé le micro.

Cinéma dans la forêt *(suite)*

2. Les vedettes de la forêt

1 Cachés derrière un gros chêne, les autres animaux
observent Renard, tout étonnés.

— Oh ! mais Renard s'amuse, dit le hibou.

— On ne lui fait pas de mal, ajoute la biche.

5 — On le caresse, on le filme, et il pourra se voir
au cinéma comme les vedettes...

— J'y vais ! dit la pie...

Hop, hop ! elle saute sur une branche, puis sur
une autre, puis sur l'épaule de la dame. Cela encourage

10 les autres qui se décident à la suivre gaiement.
Arrivent à la queue leu leu : la biche, le hibou,
le lièvre et le mulot, le petit marcassin, le faon et
le geai. Tous s'installent autour de la dame.

— Ravissant ! crie l'homme à la caméra,
15 et toute l'équipe du film applaudit.
Mais, soudain, un des hommes met le moteur
du camion en marche.
Le lièvre, affolé par le bruit, s'enfuit aussi vite
qu'il peut et les autres animaux courent derrière lui.
20 Les hommes sont gentils,
mais… on ne sait jamais
ce dont ils sont capables.
Mieux vaut ne pas rester
trop longtemps en leur
25 compagnie !

Claire GODET,
Cinéma dans la forêt,
Éd. Nathan.

Ah, cette lettre g !
dans : un geai → [ʒ]
dans : gaiement → [g]
dans : longtemps → [ ]
dans : la compagnie → [ɲ]

As-tu bien lu ?

1. Qui se sauve le premier ?

2. Qui saute sur l'épaule de la dame ?

3. Quel est, parmi les véhicules ci-dessous, celui qui fait fuir les animaux ?

4. Te souviens-tu des animaux qui arrivent à la queue leu leu ?

Connais-tu leurs parents ?

Les parents du faon
sont la biche et le cerf ;

[ɑ̃] le faon
le paon
le taon

ceux du marcassin
sont la laie et le sanglier.

● **Connais-tu les parents du poulain ? du veau ?
de l'agneau ? du porcelet ?**

Jouons un peu.

1. Un intrus est caché.
Trouve lequel et pourquoi. ▶

◀ 2. Trouve le nom
des 6 animaux
qui ont servi à
composer cette
étrange créature.

3. Si tu possèdes
un tampon-encreur,
tu peux avec
les empreintes
de tes doigts,
et un peu
d'imagination,
réaliser
des animaux
amusants. ▶

4. Découpe la farandole pour
trouver le nom de 5 oiseaux. ▼

Roiteletgeairossignolchouette

La chemise de nuit dans la corbeille à pain

1. Si on changeait tout de place ?

1 — Ça doit être amusant de changer les meubles de place, dit Tante Joséphine.

— Par exemple de mettre la table devant la fenêtre, dit Fanny.

5 Ainsi, on peut regarder dehors en mangeant.

Sitôt dit, sitôt fait.

— Formidable ! Maintenant on peut pousser l'armoire à la place de la table…

— Aide-moi ! il faut tirer le buffet dans l'autre coin.

10 — Il faut le mettre à la place des lits.

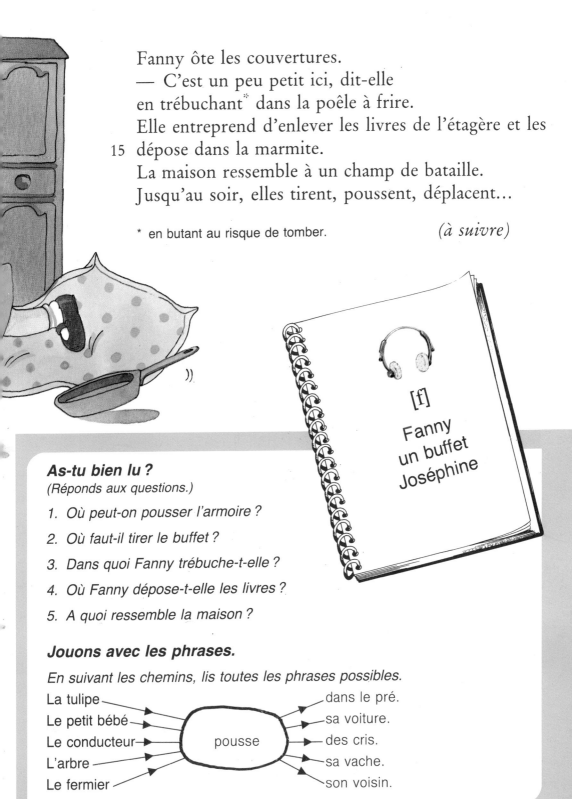

Fanny ôte les couvertures.

— C'est un peu petit ici, dit-elle
en trébuchant* dans la poêle à frire.

Elle entreprend d'enlever les livres de l'étagère et les
15 dépose dans la marmite.

La maison ressemble à un champ de bataille.

Jusqu'au soir, elles tirent, poussent, déplacent...

* en butant au risque de tomber.

(à suivre)

[f]
Fanny
un buffet
Joséphine

As-tu bien lu ?

(Réponds aux questions.)

1. Où peut-on pousser l'armoire ?

2. Où faut-il tirer le buffet ?

3. Dans quoi Fanny trébuche-t-elle ?

4. Où Fanny dépose-t-elle les livres ?

5. A quoi ressemble la maison ?

Jouons avec les phrases.

En suivant les chemins, lis toutes les phrases possibles.

La tulipe		dans le pré.
Le petit bébé		sa voiture.
Le conducteur	pousse	des cris.
L'arbre		sa vache.
Le fermier		son voisin.

document

Des mots et des images

Une mésaventure d'Hercule

Pif Poche, n° 201, Éd. Bred Vaillant
Studio Récréo et Louis Cance

1. Regarde ce qui arrive à Hercule et ce qu'il dit.

2. Explique ce que Pif et Hercule veulent dire :

J'aime mieux **prendre la porte.**

Arrête de **jeter l'argent par les fenêtres !**

Je devrais **garder le lit** quelques jours : je ne me sens pas très bien.

Je te dis cela, mais ne va pas le **crier sur les toits.**

Une maison en chantier

1. *Cherche sur ce dessin :*
*   l'architecte (c'est lui qui dessine les plans),
*   les charpentiers,
*   les maçons,
*   les menuisiers.

2. *Réponds aux questions :*
*   Dans quoi verse-t-on le béton ?
*   Que porte l'ouvrier qui monte par la planche inclinée ?
*   Que font les menuisiers ?

La chemise de nuit dans la corbeille à pain (suite)

2. Nous verrons demain

1 — Ça paraît de plus en plus bizarre !

— C'est parce que les casseroles sont sur
la bibliothèque et l'armoire devant la fenêtre !
Le jour, ça risque d'être un peu sombre !

5 — Tu sais où est ma chemise de nuit ? dit Tante
Joséphine.

— Je crois qu'elle est dans la corbeille à pain,
dit Fanny, car dans la table de nuit il y a les pots
de confiture.

10 Pour aller se coucher, elles sont obligées d'escalader
le buffet.

— Comment allons-nous éteindre ?

— Laissons éclairé, s'il fait nuit pendant le jour
on peut au moins y voir clair la nuit !

15 Elles se couchent.

— On pourrait peut-être... finit par dire Fanny.

— Oui, termine Tante Joséphine, on pourrait tout remettre comme avant.

— Demain, murmurent-elles. Et elles s'endorment.

Gina RUCK PAUQUÈT, *Fanny aux quatre saisons*, Éd. Hachette.

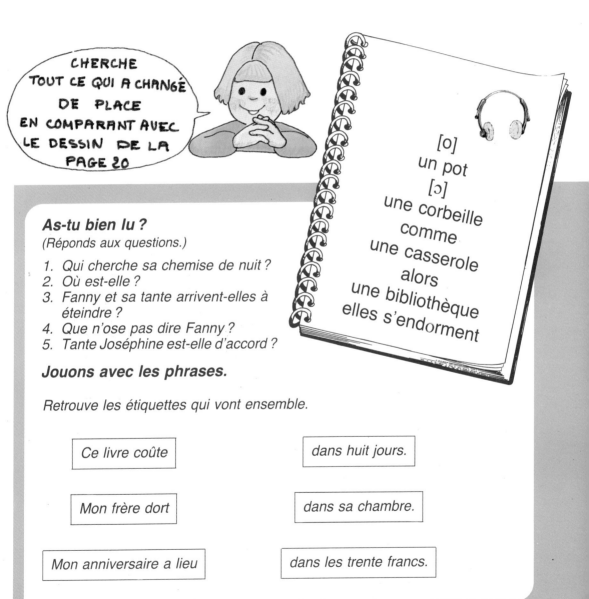

CHERCHE TOUT CE QUI A CHANGÉ DE PLACE EN COMPARANT AVEC LE DESSIN DE LA PAGE 20

[o]
un pot
[ɔ]
une corbeille
comme
une casserole
alors
une bibliothèque
elles s'endorment

As-tu bien lu ?

(Réponds aux questions.)

1. Qui cherche sa chemise de nuit ?
2. Où est-elle ?
3. Fanny et sa tante arrivent-elles à éteindre ?
4. Que n'ose pas dire Fanny ?
5. Tante Joséphine est-elle d'accord ?

Jouons avec les phrases.

Retrouve les étiquettes qui vont ensemble.

| Ce livre coûte | dans huit jours. |

| Mon frère dort | dans sa chambre. |

| Mon anniversaire a lieu | dans les trente francs. |

Une maison de poupée

1. Regarde bien ces dessins qui montrent
   la construction d'une maison de poupée.
2. Trouve tous les outils nécessaires.
3. Réfléchis : par quoi faut-il commencer ?
4. Trouve • comment décorer la maison.
        • comment faire des meubles.
5. Nomme • chaque pièce de la maison.
        • les meubles que tu y vois.

Déménagements

1. *Regarde bien ce dessin.* Les déménageurs emportent uniquement les objets dont le nom commence par un m. Il y en a cinq. *Trouve-les.*

2. *Les déménageurs se partagent le travail.* Chacun s'occupe de 4 objets :
- le premier emporte les objets dont le nom commence par un a.
- le second choisit ceux commençant par un t.
- le troisième préfère ceux commençant par un b.

3. *Imagine que tu déménages en emportant seulement des objets dont le nom commence par un r. Dessine 5 de ces objets sur ton cahier.*

Le déménagement de Lou

1. Vers une autre maison

1 Lou trottinait derrière sa maman. Il essayait de voir ce qu'elle avait trouvé de si extraordinaire.
Elle se mit à parler très vite, avec de grands gestes, et racontait des choses bizarres.
5 Elle évoquait de grandes fenêtres, une cuisine tout équipée, une salle de bains, un lavabo. Tout cela n'avait aucun sens ! Alors Lou se fâcha tout rouge :
— Montre-moi ce que tu as trouvé !

Alors, calmement, sa maman lui expliqua qu'elle

10. avait trouvé une maison plus grande, plus jolie, et
qu'au printemps ils déménageraient.
Bientôt la maison se remplit de caisses, de grandes et
de petites, en bois et en carton.
— Profitons de ce déménagement pour jeter tout ce

15 qui est vieux, disaient les parents.
Lou craignait de voir disparaître Teddy.
Teddy, c'était son ours en peluche, son ami
de toujours. Il lui manquait une oreille
et il était pelé par endroits, mais

20 ses yeux étaient si doux… Alors,
il le déplaçait en cachette et
le glissait entre les caisses pour
être sûr de le retrouver !

(à suivre)

[ã]

le déménagement
une maman
un grand geste
le printemps
un endroit

mais aussi :
une chambre
maintenant
la tempête

As-tu bien lu ?
(Donne la réponse.)

1. *En quelle saison aura lieu
le déménagement ?*
2. *Qui est Teddy ?*
3. *Que manquait-il à Teddy ?*
4. *Les caisses pour le déménagement
étaient-elles :*

● en bois ? ● en plastique ? ● en carton ? ● en polystyrène ?

5. *Trouve dans ce mélange de pièces celles évoquées dans le texte.*

salon •cuisine •bureau salle de bains •lingerie •chambre
•entrée •vestibule •salle de bains •salle à manger

Les maisons des autres...

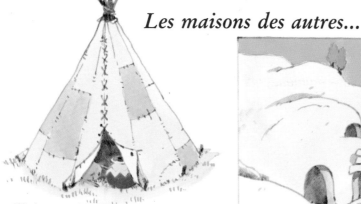

Tipi actuel des tribus
indiennes du Canada
du Nord-Ouest.

Quartier de maisons
creusées dans le rocher
encore habité en Turquie.

Hutte de pierres
d'un pêcheur
du lac Titicaca.
(Bolivie)

Pilotis
sculptés
Entrée de la case
Echelle
Piliers de soutien du toit

Grandes maisons-cases
des Batak à Sumatra.

Retrouve vite parmi ces noms ceux qui désignent une habitation.

une hotte — la caisse — une huche — un tapis — le tibia — une huppe — la casse — le tipi — un titi — la case — une hutte — une cosse

page œil

Jouons un peu

1. Déménager s'oppose à emménager. Trouve les couples.

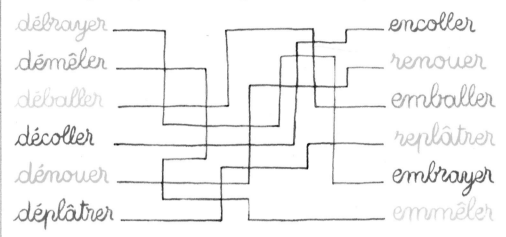

débrayer	encoller
démêler	renouer
déballer	emballer
décoller	replâtrer
dénouer	embrayer
déplâtrer	emmêler

2. Il y a deux noms de plus que de dessins. Lesquels ?

un lavabo

une maison

une fenêtre

une oreille

une caisse

un ours

des déménageurs

une cuisine

3. Déchiffre la pensée de Lou.

po... rv.../ qu...ls / n.../ ʃ...t...nt / p...s
m...n / p...t...t / ou...... / Ce.....y !

Le déménagement de Lou *(suite)*

2. Et mon ours ?

1 Le grand jour arriva. En partant à l'école, Lou vit un énorme camion rouge devant la maison. Lorsqu'il revint de l'école, sa maison était vide. Ses parents l'attendaient. Ils partirent ensemble vers la nouvelle
5 demeure.

C'était là. Ils entrèrent…

C'était grand, très grand et cela sentait la peinture.

Lou, d'une toute petite voix, demanda :
— Et mon Teddy ?

10 Son père et sa mère se regardèrent bizarrement.

— Tu es grand maintenant, tu n'as plus besoin d'un ours en peluche, nous l'avons jeté, il était dégoûtant !
Lou ne pouvait plus bouger, plus parler, plus crier.

15 Deux grosses larmes coulèrent sur son nez.

Alors, sa mère murmura : « Il n'est peut-être pas trop tard ! » et elle partit. Elle retourna dans l'ancienne maison, se précipita sur un grand sac de plastique noir et le vida au milieu de la pièce. Et là,
20 dans un tas de balayures, de bouts de ficelle, de vieux papiers, elle découvrit Teddy, tout couvert de poussière. Elle le tapota, le caressa, le serra sur son cœur, puis elle retourna vers son petit Lou.

Nathalie NATH, *Le Déménagement de Lou*, Éd. Grasset.

[œ]

une demeure
le cœur

As-tu bien compris ?

Trouve ce qui n'est pas cité dans le texte :
* des bouts de ficelle • un tas de balayures • des vieux papiers
* des journaux • des objets cassés.

Jouons avec les phrases.

Observe les deux expressions du visage de Lou et devine quelle est celle qu'il avait au milieu du texte, et celle qu'il a dû avoir en fin de texte.

document

A chacun son toit

Chaque province a sa maison, avec sa composition particulière. Observe les toits (leurs matériaux, leurs pentes), les murs, la hauteur...

Trouve ce qui est particulier à chacune des constructions.

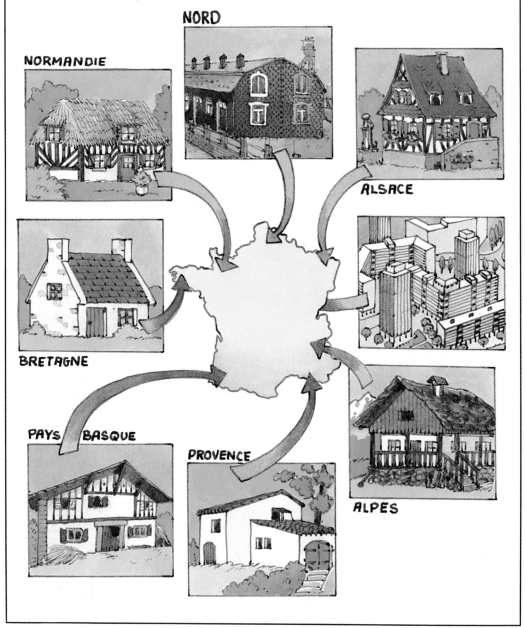

NORD

NORMANDIE

ALSACE

BRETAGNE

PAYS BASQUE

PROVENCE

ALPES

Jouons un peu

1. *Tous ces objets se situent dans la maison.*

   - *Cherche lesquels sont des meubles.*
   - *Repère les appareils ménagers.*
   - *Trouve les éléments de décoration.*

la cuisinière | le fauteuil | le lave-vaisselle
la machine à laver | le bouquet de fleurs
le lustre | la table | les tableaux | les chaises
le four | l'armoire | le bureau | le banc
les rideaux | le lit | le réfrigérateur | le buffet

2. *Dans chaque ensemble trouve l'intrus.*

   - une poêle
   - une casserole
   - une marmite
   - un verre
   - un faitout

   - une porte
   - une fenêtre
   - une table
   - une lucarne
   - un vasistas

   - le salon
   - la cuisine
   - la salle de bains
   - la chambre
   - l'escalier

3. *Dessine la maison que l'on trouve deux fois.*

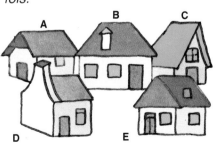

Escale en poésie : la maison

Recette

Prenez un toit de vieilles tuiles
Un peu avant midi.
Placez tout à côté
Un tilleul déjà grand
Remué par le vent.

Mettez au-dessus d'eux,
Un ciel de bleu, lavé
Par des nuages blancs.
Laissez-les faire.
Regardez-les.

Eugène GUILLEVIC,
Avec,
© Éd. Gallimard.

Dans la maison
broute un bison.

Dans le buffet
rit un orvet.

Dans le tiroir
s'éveille un loir.

Dans le placard
guette un guépard.

Dans le fauteuil
niche un bouvreuil...

Jean-Claude RENARD,
Comptines et formulettes,
Éd. Saint-Germain-des-Prés.

Le hameau et ses petites maisons

C'était un petit hameau
Qui était entouré d'eau
Comme une île.

Il n'avait que des maisons
Qui faisaient un petit rond
Sur la terre.

Il était clair et tout rond
Il avait un petit pont
Et n'était qu'une presqu'île.

Il n'avait que du soleil
Que de l'espace et du ciel
Et du rêve.

C'était un hameau perdu
Son nom, personne n'a su
Me le dire.

René-Guy CADOU,
extrait de *La Poèmeraie*,
Éd. Colin-Bourrelier.

Suppose que la mer soit sucrée...

1. Quel malheur !

1   Les galets seraient des bonbons,
des berlingots, des dragées,
des nougats, des macarons,

Et les algues,
5   des sucettes, des caramels,
des gaufrettes !

Les poissons, grands et petits
deviendraient des fruits confits.
Et les enfants boiraient aïe, aïe, aïe,
10   l'océan avec des pailles !
Mais ils sont tellement gourmands,
vraiment,
qu'ils videraient toutes les mers
si elles n'étaient plus amères !
15   Les bateaux
privés d'eau
ne pourraient plus naviguer
et, couchés sur le côté,
dormiraient le long des quais.
20   Et les baleines,
hors d'haleine,
sur le sable desséché,
ne cesseraient de pleurer...

(à suivre)

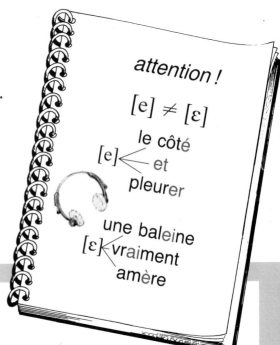

attention !

$[e] \neq [\varepsilon]$

$[e]$ le côté
et
pleurer

$[\varepsilon]$ une baleine
vraiment
amère

As-tu bien compris ?
(Réponds aux questions.)

1. *Si la mer était sucrée, que deviendraient les algues ?*

2. *Par qui l'océan serait-il bu ?*

3. *Où iraient pleurer les baleines ?*

4. *Où les bateaux dormiraient-ils ?*

5. *Lesquels de ces mots ne sont pas dans le texte ?*

 • une table   • du sable   • un câble   •   une fable.

Le phare

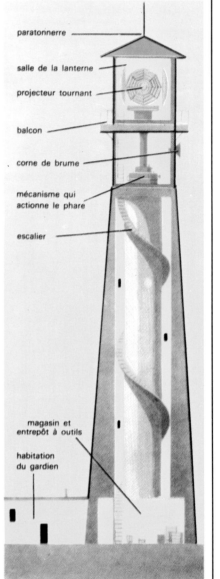

paratonnerre

salle de la lanterne

projecteur tournant

balcon

corne de brume

mécanisme qui actionne le phare

escalier

magasin et entrepôt à outils

habitation du gardien

Paul SIGNAC (1888), Le phare de Portrieux.

1. Trouve sur la légende du croquis :
   - *2 mots qui contiennent le son* [e]
   - *2 mots qui contiennent le son* [ɛ]

2. Parmi tous ces mots qui commencent comme paratonnerre, trouve 2 intrus.

• le parapluie	• le parasol	• le paragraphe
• le paravent	• le paradis	• le parachute

page œil

Jouons un peu

1. *Voici des animaux de la mer. Forme les couples dessin et nom.*
   (Exemple : 2-a)

   1   2   3   4   5

a : une pieuvre   c : un requin   e : une étoile de mer
b : une baleine   d : un hippocampe

2. *Ils ont un point commun. Lequel ?*

3. *Attention : la mer ≠ la mère*

   *Dans cette salade de mots, retrouve ceux qui se prononcent
   de la même façon.* Que désignent-ils ?

la peau   un seau   le cou

une date   un coup   une chaîne

un chêne   un pot   un sot   la datte

Suppose que la mer soit sucrée... (suite)

2. Pauvres baleines !

1 Pauvres, pauvres baleines !
Les enfants pris de pitié
Les ramèneraient à la maison
avec mille précautions !

5 Installées dans leur baignoire, frétillant de la nageoire,
les baleines, c'est normal, retrouveraient le moral !
Mais on n'avait pas pensé que toutes ces ablutions[*]
feraient des inondations.

[*] faire ses *ablutions* = se laver

Les voisins incommodés de voir tant d'eau déborder
10 signeraient des pétitions* pour qu'on les mette en
prison !

Mais inutile de pleurer, d'avoir le cœur chaviré...
car, tout le monde le sait, la mer est toujours salée !

Marthe Seguin-Fontes,
Suppose que la mer soit sucrée..., Éd. Larousse.

* *une pétition* = lettre
pour adresser une plainte.

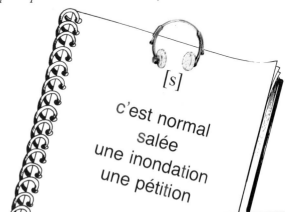

[s]

c'est normal
salée
une inondation
une pétition

As-tu bien lu ?

1. *Trouve la bonne réponse.*

*Les baleines
sont installées :*

- *dans la cuisine*
- *dans une baignoire*
- *dans la piscine*

2. *Cherche l'intrus.*

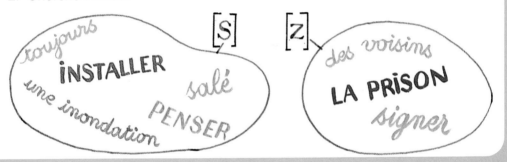

[s] [z]

toujours
INSTALLER
une inondation
salé
PENSER

des voisins
LA PRISON
signer

Sur la plage :

1. Observe le dessin et réponds aux questions.

   a) Que construisent les enfants ?

   b) Comment s'appellent les oiseaux qui survolent la plage ?

2. Tu peux trouver sur l'illustration 6 objets dont le nom se termine par **eau.** Lesquels ?

seau - château - chapeau - oiseau - bateau - drapeau

Pour faire un joli tableau...

1. Prépare un fond avec du bleu, du vert, du gris : les vagues, le ciel.
   Tu pourras y coller des moules, des praires, des huîtres : les bateaux.

2. A toi d'imaginer une flottille avec des coquillages, des crustacés,
   des algues, des poissons...

Les Turlutins et les grenouilles

1. Si nous allions couper des joncs ?

1   Ce matin, tout le monde s'affaire
     au village des Turlutins.
     C'est le printemps.
     On répare les toits, on repeint les murs.
5   On ouvre les fenêtres
     on tape les tapis
     on fait sortir l'hiver
     à grands coups de balai.

Trois petits Turlutins
10 Gyp, Laur et Frick ont décidé
d'aller en grand secret
à la mare aux grenouilles.

Avec le petit couteau de Frick
ils couperont des joncs
15 pour en faire un panier.
Mais…
Aller à la mare aux grenouilles
quelle folie ! C'est interdit !

(à suivre)

$[d] \neq [t]$

doux $\neq$ tout

un doigt $\neq$ un toit

une pomme d'api
$\neq$
un tapis

As-tu bien lu et bien compris ?
(Réponds aux questions.)

1. *Qui possède un petit couteau ?*

2. *Où veulent aller les Turlutins ?*

3. *Qu'utilisent-ils pour fabriquer
un panier ?*

4. *Cherche qui parle. Les Turlutins ? Les Nains ?*

Maintenant, nous…

Demain, nous…

- Nous couperons des joncs.
- Nous allons à la mare.
- Nous tresserons un panier.
- Nous irons à pied.
- Nous faisons le ménage.
- Nous ouvrons les fenêtres.

Les saisons

LE PRINTEMPS

Au printemps,
on range les
Le temps est plus doux.
Dans les bois, le   pousse.
Les cerisiers et les pêchers
se couvrent de
Les oiseaux préparent les
pour accueillir leurs petits.

L'AUTOMNE

Au début de l'automne, on est rentré
à l'   . Le ciel est gris
et la nuit tombe vite. On cueille
les   . Les   ont mûri.
Les forêts ont de jolies couleurs.
Peu à peu, les   rousses
et dorées tombent des arbres.
Et les   s'envolent
vers les pays chauds.

Les mois et les saisons,
Texte d'Évelyne Mathiaud.
Illustrations de Doris Lauer.
Coll. Bibliothèque des petits lapins,
Éd. Fernand Nathan.

Essaie à ton tour d'illustrer l'hiver.
Imagine le texte qui accompagnerait ton dessin.

Les peintres

1. Regarde bien ce dessin. Raconte ce que fait chaque personne.

Si ta chambre a besoin d'être remise à neuf, il faut :

① Décoller la vieille tapisserie.

② Peindre le plafond (au rouleau, ça va vite).

③ Peindre ensuite les portes, les plinthes et les fenêtres (avec un pinceau).

④ Et, pour retapisser les murs, mesurer, découper, encoller puis poser le papier.

2. Trouve la bonne étiquette.

1   une pâtisserie

2   une tapisserie

Les Turlutins et les grenouilles (suite)

2. Trois Turlutins imprudents

1 On dit que la mare est maudite
et que les grenouilles qui pataugent
et farfouillent dedans sont des folles,
des fripouilles qui font tomber exprès
5 les gens pour les noyer. Les Turlutins arrivent à la mare.
— Regardez, chuchote Frick. Il y a des narcisses.
Alors ils cueillent des fleurs.

Soudain, Laur crie à Gyp :

— Ne t'approche pas du bord !

10 Et voilà Gyp qui glisse et tombe en
arrière.

— Je vais me noyer ! hurle Gyp.

Alors Frick lui tend la main.

Mais son pied glisse et voilà Frick dans

15 l'eau.

— Au secours ! Au secours !

crie Laur au bord de la mare.

Mais elle aussi dérape. Au secours !

La voilà dans l'eau à son tour.

(à suivre)

attention !

dans :
ils cueillent

on [œj]

comme dans :
une feuille
un écureuil

As-tu bien lu ?

(Réponds aux questions.)

1. *Quelles fleurs cueillent-ils ?*

2. *Qui tombe à l'eau le premier ?*

3. *Qui crie au secours ?*

Jouons avec les phrases.

Parle-t-on

*d'un seul
enfant...*

- Celui-ci porte
  une salopette.
- Ils arrivent ensemble à l'école.
- Mon frère marche lentement.
- Mes camarades m'invitent
  à jouer avec eux.
- Tous sont joyeux.
- C'est lui qui s'appelle Yvan.

ou de plusieurs ?

La grenouille,
un curieux animal !

1. *Regarde comment naît et grandit une grenouille.*

2. *Trouve à quel numéro correspond chaque étiquette.*

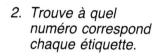

La queue tombe, le têtard est devenu grenouille.

Le têtard grossit, il a une longue queue et des branchies.

Les pattes avant apparaissent.

Les têtards commencent à se former dans l'œuf.

Œufs de grenouille.

La queue se raccourcit.

Les pattes arrière se développent.

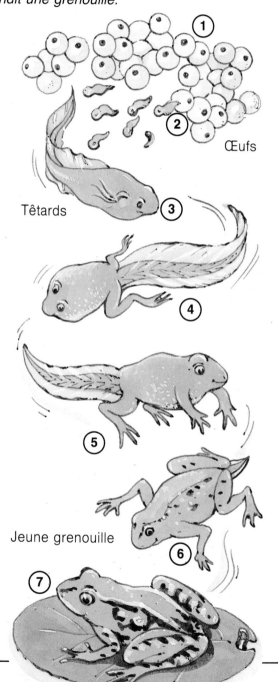

Œufs

Têtards

Jeune grenouille

La grenouille qui veut se faire aussi grosse que le bœuf

Une grenouille vit un bœuf
qui lui sembla de belle taille.

Elle, qui n'était pas grosse en
tout comme un œuf, envieuse,
s'étend, et s'enfle, et se travaille,
pour égaler l'animal en grosseur,
disant :

« Regardez bien, ma sœur ; est-ce
assez ? dites-moi ; n'y suis-je
point encore ? — Nenni. — M'y voici
donc ? — Point du tout. — M'y voilà ?
— Vous n'en approchez point. »

La chétive pécore s'enfla si bien
qu'elle creva.

Jean de LA FONTAINE.

Lis cette fable,
puis recopie-la en allant
à la ligne à ton idée.
(N'oublie pas la majuscule au début de chaque ligne.)

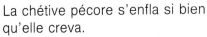

53

Les Turlutins et les grenouilles (suite)

3. Sauvés par les grenouilles

1 C'est alors que Ti la grenouille lance un appel :
CROA - CROA - TRU - TRU - CROA...
Des cachettes dans les roseaux,
des cachettes dans la mousse
5 Sortent des dizaines de grenouilles.
Elles plongent dans l'eau et bientôt...
Les voilà qui tirent, qui poussent,
qui soulèvent, qui hissent, qui tirent encore et encore
et ramènent les trois Turlutins sur le bord de la mare.

10 La mare n'est pas maudite,
les grenouilles les ont sauvés.
— Madame Ti, dit un Turlutin
en baisant la main de la grenouille,
acceptez-vous de nous apprendre à nager ?
15 Et c'est ainsi que tout l'été
les Turlutins se sont entraînés
à nager et à plonger.
Ils n'ont plus peur
ni de l'eau, ni de la mare,
20 ni des grenouilles
maîtres-nageurs.

Texte d'Anne-Marie CHAPOUTON,
Illustrations de Gerda Muller,
Les Turlutins et les grenouilles,
Éd. Nathan.

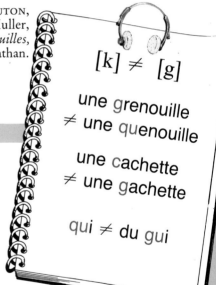

[k] ≠ [g]

une **g**renouille
≠ une **q**uenouille

une **c**achette
≠ une **g**achette

qui ≠ du **g**ui

As-tu bien lu ?
(Réponds aux questions.)

1. L'histoire se termine-t-elle bien ?
2. Comment s'appelle la grenouille ?
3. Qu'ont fait les Turlutins tout l'été ?
4. De quoi n'ont-ils plus peur ?

Jouons avec les phrases.

Dis le contraire, comme sur ce modèle :
    La mare est maudite. → La mare n'est pas maudite.

- Les Turlutins savent nager.
- Les grenouilles sont des fripouilles.
- Les Turlutins ont peur de l'eau.
- La grenouille s'appelle Troa.

Une affiche

1. Regarde bien cette affiche. Lis le texte.

L'eau.

A la source de toute vie,
L'eau comme la vie,
n'a pas de prix.
Préservez* la vie.
Protégez l'eau.

(* Préserver = protéger)

2. Réponds aux questions.

- *Pourquoi a-t-on dessiné des animaux et des plantes sur cette image ?*
- *Pourquoi faut-il protéger l'eau ?*
- *Qui a besoin d'eau ? Pourquoi ?*
- *Où y a-t-il de l'eau dans ta ville ?*
- *Comment y arrive-t-elle ?*

Du monde dans l'étang

Jeu des erreurs

Deux animaux du premier dessin ont disparu dans le deuxième dessin.

Transferts *L'étang*,
Éditions Bias.

Regarde bien et dis qui n'est plus là :

- un oiseau ?
- une grenouille ?
- un papillon ?

- un poisson ?
- un insecte ?
- un canard ?

Réponse : un canard et une grenouille.

Escale en poésie : l'eau

La balade

J'ai un fleuve
dans ma ville

Je le regarde
de loin, de près

De près : j'y lis mon visage
De loin : je songe à la mer

Il coule, il coule
mon fleuve aimé

Il coule
mais ne me quitte jamais.

Andrée CHEDID,
Le jardin secret des poètes,
Éd. Ouvrières.

Buccin

Dans sa coquille vivant
le mollusque ne parlait pas
facilement à l'homme
mort il raconte maintenant
toute la mer à l'oreille de l'enfant
qui s'en étonne
qui s'en étonne

Raymond QUENEAU,
Fendre les flots,
© Éd. Gallimard.

58

Poisson

Les poissons, les nageurs, les bateaux
Transforment l'eau.
L'eau est douce et ne bouge
Que pour ce qui la touche.

Le poisson avance
Comme un doigt dans un gant,
Le nageur danse lentement
Et la voile respire.

Mais l'eau douce bouge
Pour ce qui la touche,
Pour le poisson, pour le nageur, pour le bateau
Qu'elle porte
Et qu'elle emporte.

Paul ÉLUARD,
Choix de poèmes,
© Éd. Gallimard.

A dos d'oiseau

Tout le paysage est tombé dans l'eau
Les truites nagent entre les arbres,
Les oiseaux glissent sur les vagues,
Et les écluses chantent, chantent
Sur ce monde renversé...

Maurice FOMBEURE,
A dos d'oiseau,
© Éd. Gallimard.

La carpe et la sole

Cette eau n'est pas assez salée,
Disait la sole désolée.
— C'est un désastre universel !
Disait la vieille carpe noire.
Quelle est cette eau qu'il nous faut boire ?
Je ne puis souffrir tant de sel.

Tristan DERÊME,
La Tortue indigo,
Éd. Grasset.

Le petit jardin

1. Le petit homme gris et la vieille dame

1 Dans la grande ville grise,
on ne voit plus que des immeubles, des tours,
des rues et encore des tours,
des rues et des immeubles...
5 Le béton a recouvert le gazon,
les tours ont remplacé les arbres...

et pourtant...

Quelque part, dans un quartier perdu, il reste un
petit jardin. Oh !... un bien petit jardin... avec seule-
10 ment un arbre et un oiseau dans l'arbre, et, sous
l'arbre, une vieille dame qui caresse son chat en
écoutant l'oiseau chanter.

Un jour, un petit homme gris, sorti d'une longue
voiture noire, dit à la dame :
15 — Vends-moi ton jardin et je te
donnerai beaucoup d'argent. Je pour-
rais construire à sa place une immense
tour.
— Non, a dit la vieille dame, parce
20 que j'ai besoin de mon jardin et que
mon oiseau a besoin de son arbre.

(à suivre)

$[ʒ] \neq [z]$

$[ʒ]$
un jardin
un jour
de l'argent

$[z]$
un oiseau
besoin
grise
le gazon

As-tu bien lu ?
(Réponds aux questions)

1. Dans le jardin il reste : ● 2 arbres ? ● beaucoup d'arbres ? ● 1 arbre ?

2. La voiture de l'homme gris est-elle

noire?   verte ?

rouge?   bleue ?   grise ?

3. Combien de fois, dans cette lecture, lis-tu le mot « jardin » ?

4. Combien de fois, dans cette lecture, lis-tu le mot « arbre » ?

5. Que veut construire le petit homme gris à la place du jardin ?

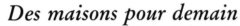

Des maisons pour demain

Voici la tour
que voudrait
faire construire
le petit homme gris.

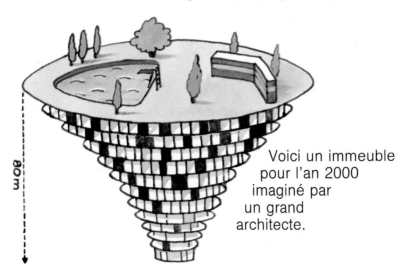

80 m

Voici un immeuble
pour l'an 2000
imaginé par
un grand
architecte.

Et toi, quel genre d'habitation préfères-tu ?

- *Un petit pavillon isolé dans la campagne ?*
- *Une maison construite dans un ensemble ?*
- *Un appartement dans un petit immeuble ?*
- *Un appartement dans une tour de 50 étages ?*

Jouons un peu

Dans la grande ville grise,
la circulation est intense*.
Il faut bien connaître le code de la route.

Reconnais-tu le panneau qui signifie :

- arrêt obligatoire
- sens interdit
- début d'autoroute
- passage pour piétons
- interdiction de stationner
- interdiction de doubler

* De nombreuses voitures circulent.

Le petit jardin (suite)

2. Le petit jardin a des amis

1 Alors le vieux monsieur gris est allé voir le fleuriste :
— Dis à la vieille dame de me vendre son jardin
et je te donnerai...

— Non ! a
5   dit
le fleuriste.
Je préfère le jardin de la vieille dame,
son arbre et son oiseau.
— Boulanger, dis à la vieille dame de me vendre son
10 jardin et je te donnerai...

— Non, a dit le boulanger. Je préfère le jardin de la vieille dame, son arbre et son oiseau.

Et le fleuriste, le boulanger, le charcutier, le poissonnier... sont venus sous l'arbre autour de la vieille
15 dame.

— Va-t'en maintenant, petit homme gris ! Nous n'avons pas besoin de tes tours. Nous préférons notre vieille dame, son jardin, son arbre et son oiseau...

Alors, la longue voiture est repartie et le petit
20 monsieur gris n'est jamais revenu.

Le quartier a retrouvé son calme ...et la vieille dame a gardé son arbre, son oiseau et son chat.

René GAST,
Le petit jardin,
avec la gracieuse autorisation
des Éditions de l'Échelle.

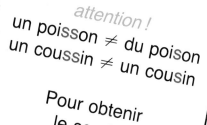
As-tu bien compris ?

1. *Quels sont les commerçants à qui s'est adressé le petit homme gris ?*

2. *Où se sont rassemblés les commerçants pour faire fuir le petit monsieur ?*

3. *Réponds par vrai ou faux :*

Dans ce texte on parle :
- d'un épicier,
- d'un boulanger,
- d'un fleuriste,
- d'un cordonnier.

Boutiques à travers les siècles

Photo : Bibliothèque Nationale

Rue commerçante
du Moyen Âge

Les boutiques sont
étroites, sombres
et s'ouvrent
en plein air.

*1. Reconnais-tu la
boutique du tailleur ?*

Épicerie au 19ᵉ siècle

*2. Observe les balances.
Vois-tu la caissière
enfermée derrière
un grillage ?*

INTÉRIEUR D'UN MAGASIN D'ÉPICERIES
Usage et Éprouvette pour les liquides spiritueux. — Mesurage du vin. — Pesage par Balance à plateaux et Balance à cuisson. — Mesurage de grains.

Photo : J. Loup Charmet

Photo : Doisneau

Les caisses dans
un supermarché

*3. Crois-tu
qu'on puisse, ici,
parler d'une BOUTIQUE ?*

Jouons un peu

1. Trouve leur métier.

2. A quels métiers te font penser ces objets ?

3. En suivant la ligne tu liras le nom d'un métier.

4. Trouve le nom d'un métier.

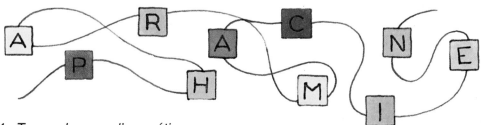

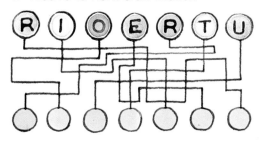

5. Ce rébus te donnera le nom d'un métier.

6. Invente d'autres rébus.

Par quatre chemins

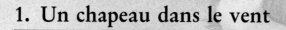

1. Un chapeau dans le vent

1 Qu'est-ce qui passe
à toute vitesse
dans le ciel ?

C'est le chapeau
5 de Petit Guillaume
que le vent vient d'emporter !
Petit Guillaume s'élance
à sa poursuite.
Il est tout près de l'atteindre,
10 mais le chapeau s'envole plus loin.
— Vite, chaussons nos patins à roulettes !
Les arbres défilent à toute vitesse,
mais le chapeau va plus vite encore.
— Enfourchons une moto !

15 Dans un nuage de poussière
Petit Guillaume suit maintenant
la grand-route sur sa moto rouge.
Il pousse le moteur à fond,
mais le chapeau
20 s'en va toujours plus loin.
Il virevolte, fait des tours
et des tours !
— Que faire ?

(à suivre)

atteindre [ɛ̃] ein

≠

il vient [jɛ̃] ient

mais dans :
un récipient [jɑ̃] ient

As-tu bien lu ?

Complète les phrases.

Les arbres défilent
- trop vite.
- à grande vitesse.
- à toute vitesse.

La moto de Guillaume est
- rouge.
- rouge et noire.
- neuve.

Guillaume suit la grand-route dans
- le brouillard.
- la poussière.
- un nuage de poussière.

Jouons avec les phrases ?

Écris ces phrases sur ton cahier, en remplaçant les dessins par les mots correspondants.

- La se place à gauche de l'assiette.
- Alexis doit porter des 👓 pour améliorer sa vue.
- J'adore le chocolat aux 🐥
- Aide-moi à retrouver mes 🧦 🧦 !

69

document

Comment peut-on se déplacer ?

1. Regarde et réfléchis.

- Cherche les moyens de transport qui ont un moteur.

- Cherche comment ceux qui n'ont pas de moteur peuvent avancer.

- Cherche tout ce qui permet de se déplacer   — dans l'air,
                                                — dans l'eau,
                                                — sur le sol.

- Essaye de ranger ces véhicules du plus rapide au plus lent.

- Trouve un moyen de transport individuel[*].

- Trouve un moyen de transport collectif[**].

[*] qui concerne une seule personne.
[**] qui concerne un groupe.

Retrouve ma voiture

- Ma voiture de rallye a 8 phares.
- Elle n'est pas jaune.
- Ce n'est pas une LANCIA.
- Elle porte un numéro qui commence par 3.

Par quatre chemins *(suite)*

2. La course-poursuite

1 Le chapeau vole toujours !
Il contourne une colline et réapparaît plus loin.
Un autocar vient à passer.
— Hep ! Chauffeur ! Attendez-moi ! Poursuivons
5 mon chapeau.
Mais l'autocar tousse à la montée,
il halète, il hoquette, il crachote !...
Va-t-il tomber en panne ?
Le train serait plus sûr ! Voici une jolie petite gare.
10 — Un billet ! Monsieur le Chef de gare !

Toujours courant, il saute
sur le marchepied du train.
La locomotive qui fume,
qui crache feu et flamme
15 s'engage sous le tunnel
du chemin de fer.
— Mon superbe
chapeau ne peut être
perdu,
20 avec un peu de chance
je finirai par
le capturer !

(à suivre)

[v] ≠ [f]

le chapeau vole
un chef

Il vient
il fume

Poursuivons
le feu

Voici
une flamme
la locomotive
le chemin de fer

As-tu bien lu ?

Trouve la bonne réponse.

- Le chapeau est ⟨ beau. / joli. / superbe.

- La gare est ⟨ belle. / jolie. / superbe.

Jouons avec les phrases.

Reforme les couples comme il convient.

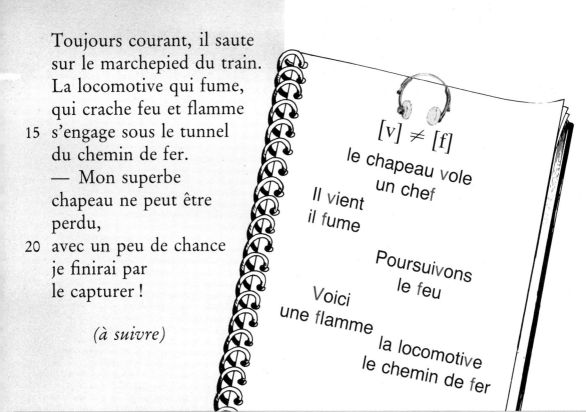

beau · géant · froid · délicieux · grand · énorme · bon · superbe · laid · glacial · gros · affreux

Le billet

Pour voyager par le train, on doit acheter un billet à la gare.

1. Regarde bien ce billet.

jour d'achat du billet

distance parcourue

2. Réponds aux questions.

① Quelle est la ville de départ ?
② Quelle est la ville d'arrivée ?
③ Pourquoi « à composter* » est-il écrit en gros ?
④ Qu'indique le chiffre en haut à droite ?
⑤ Combien y a-t-il de kilomètres entre Charmes et Épinal ?
⑥ Quel jour ce billet a-t-il été acheté ?
⑦ Combien a-t-il coûté ?
⑧ Combien de personnes voyagent ?

* Passer dans une machine qui imprime la date d'utilisation.

Le circuit

Photo Catalogue Jouef, Ceji.

*Trouve les deux phrases qui ne conviennent pas
à propos de cette photo.*

1. Pierre joue avec son papa.

2. La locomotive électrique est rouge.

3. Le réseau a deux voies.

4. On voit un camion citerne.

5. Pierre a la main posée sur un arbre.

5. Des voyageurs attendent sur le quai.

7. On voit deux wagons de voyageurs.

Par quatre chemins (suite)

3. Chapeau vole !

1 Une rafale de vent emporte
le chapeau vers les montagnes.

— Vite, en ballon !
dit Petit Guillaume,
5 et le voilà qui monte
doucement vers le ciel.

— Si le ballon est trop lent
montons en hélicoptère !
Un cerf-volant ferait-il mieux mon affaire ?
10 se dit Petit Guillaume
qui s'y suspend imprudemment.
Pour attraper mon chapeau,
il faudrait peut-être un avion !
Vraiment, faut-il encore m'aventurer !

15 Alors le vent, qui s'est suffisamment amusé
avec le chapeau du courageux Petit Guillaume,
cesse de souffler.
Le chapeau retombe enfin
juste sur la tête de son propriétaire !

Marthe SEGUIN-FONTES,
d'après *Par quatre chemins*,
Éd. Larousse, Coll. d'éveil.

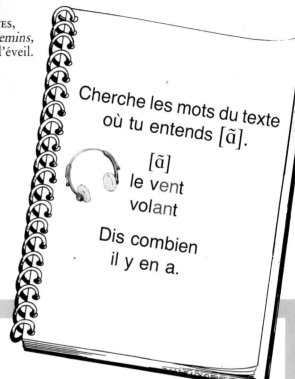

Cherche les mots du texte où tu entends [ã].

[ã]
le vent
volant

Dis combien il y en a.

As-tu bien lu ?

Trouve la bonne réponse.

Pour attraper mon chapeau ⟨ il me faudrait un avion !
il faudrait peut-être voler !
il faudrait peut-être un avion !

Jouons avec les phrases.

*Devine quel est le point caché sous chaque étoile
en lisant comme il convient.*

- Un cerf-volant ferait-il mon affaire ★
- Il me faut un avion ★
- As-tu bien lu ★
- Où est mon beau chapeau ★
- Viens avec moi ★
- Tu viens avec moi ★

Se déplacer dans les airs

Les hommes ont toujours rêvé
de voler dans le ciel
comme des oiseaux.
Mais comment faire sans ailes ?

1. Regarde ce qui a été inventé.

2. Retrouve le nom de chaque engin.

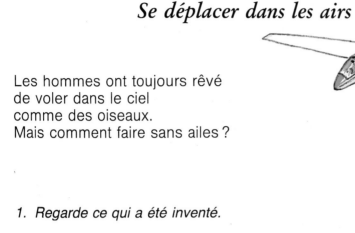

- Un planeur • un ballon • un hélicoptère • une fusée
- un deltaplane • un avion.

3. Retrouve la bonne étiquette.

s'envoler	survoler	décoller

- Attachez vos ceintures, nous allons ⬚

- L'avion est en train de ⬚ la ville.

- La mésange va ⬚ du nid.

page œil

Jouons un peu

1. Compare les véhicules actuels à leurs ancêtres.

La première
bicyclette :
la draisienne.

L'éole de
Clément Ader

Une ancienne
locomotive :
celle de
Stephenson.

La première
Renault

La Fusée du Georges Stephenson, 1829.

Un vélo de
course

Le Concorde

Le T.G.V.*

* Train à Grande Vitesse. La Renault 5

2. Trouve à quel nombre correspond chaque nom.

- la cabine
- la dérive
- un hublot

- le nez
- le train d'atterrissage
- un réacteur

Thèmes	Lectures	Extraits	Documents	Pages œil	Pages
1 **LA NATURE LA FORÊT**	L'arbre de Léonard *(Marie Tenaille)*	1. Un petit arbre est né 2. L'ami du village	Faire pousser des arbres L'arbre est une maison	Du monde au jardin Deux arbres	4-11
	Cinéma dans la forêt *(Claire Godet)*	1. Silence ! On tourne. 2. Les vedettes de la forêt	La prise de vue au cinéma Connais-tu leurs parents ?	Jouons un peu Jouons un peu	12-19
2 **LA MAISON**	La chemise de nuit dans la corbeille à pain *(Gina Ruck Pauquèt)*	1. Si on changeait tout de place ? 2. Nous verrons demain.	Des mots et des images Une maison de poupée	Une maison en chantier Déménagements	20-27
	Le déménagement de Lou *(Nathalie Nath)*	1. Vers une autre maison 2. Et mon ours ?	Les maisons des autres... A chacun son toit	Jouons un peu Jouons un peu	28-35
	Escale en poésie				36-37
3 **L'EAU**	Suppose que la mer soit sucrée... *(Marthe Seguin-Fontès)*	1. Quel malheur ! 2. Pauvres baleines !	Le phare Sur la plage	Jouons un peu Pour faire un joli tableau...	38-45
	Les Turlutins et les grenouilles *(Anne-Marie Chapouton)*	1. Si nous allions couper des joncs ? 2. Trois Turlutins imprudents	Les saisons La grenouille, un curieux animal !	Les peintres La grenouille qui veut se faire aussi grosse que le bœuf (Jean de La Fontaine)	46-57
		3. Sauvés par les grenouilles	Une affiche	Du monde dans l'étang	
	Escale en poésie				58-59
4 **LA VILLE**	Le petit jardin *(René Gast)*	1. Le petit homme gris et la vieille dame 2. Le jardin a des amis	Des maisons pour demain Boutiques à travers les siècles	Jouons un peu Jouons un peu	60-67
	Par quatre chemins *(Marthe Seguin-Fontès)*	1. Un chapeau dans le vent 2. La course-poursuite 3. Chapeau vole !	Comment peut-on se déplacer ? Le billet Se déplacer dans les airs	Retrouve ma voiture Le circuit	68-79

◄— Imprimerie Tardy Quercy S.A. Bourges - N° d'Éditeur : C 61020 - (VII) - 134 - (CSBM) - 115° - C - Imprimé en France - Mai 1990 - N° 15976